Tartes en fête

CHANTAL ET LIONEL CLERGEAUD

Tartes en fête

Cuisine & Santé

Equilibres
Aujourd'hui

16, rue Durrmeyer, 61100 FLERS

© Editions Equilibres, 1988.
ISBN : 2-87724-006-1

A Gwendoline, Lydwine, Gwenwed

PREFACE

Tartes en fête. Cet ouvrage est un recueil de pizzas, tartes, tourtes, sucrées et salées, piochées ici et là, dans les cuisines de nos mères et de nos grand-mères, aussi bien en France qu'à l'étranger.

Nous avons voulu rompre avec la tradition qui veut qu'une tarte soit une entrée ou un dessert, mais rarement le plat principal ou même le repas. Et pourtant ! Les tartes nous offrent de multiples possibilités.

Repas d'affaires, de famille, pique-niques, goûters, anniversaires, cocktails, buffets froids seront mis en valeur et embellis par des tartes originales et colorées.

Et en cette époque, où chacun (et chacune) fait attention à sa ligne, un morceau de tarte, accompagné d'une salade verte, constituera le repas idéal pour la conserver.

Les recettes de tarte sont innombrables ; il y en a pour tous les goûts, tous les appétits, toutes les bourses.

Aussi nous a-t-il été difficile de faire un choix ! Les recettes présentées ici ont toutes en commun :
— leur goût et leur saveur gastronomique : vous pourrez les servir en toutes occasions.
— leur rapidité de préparation et leur facilité d'exécution : nul besoin d'être une experte dans l'art culinaire.
— et, ce à quoi nous nous attachons de plus en plus, leur valeur nutritionnelle et diététique.

Nous avons, pour ces recettes, tenu à n'employer que des produits dont les qualités biologiques ne peuvent être mises en doute.

Il nous paraît vital, en effet, d'utiliser des aliments sains, naturels, non pollués par l'agriculture chimique et les transformations industrielles (raffinage, colorants, émulsifiants...), qui ne peuvent à la longue, qu'avoir une action néfaste sur notre santé.

En espérant que vous nous accompagnerez dans le monde particulièrement enchanteur des tartes et des tourtes, nous vous souhaitons

Joyeuses tartes

TERMES RARES
Consulter le vocabulaire en fin d'ouvrage

ABRÉVIATIONS :

- ☐ c. à c. : cuillerée à café
- ☐ c. à s. : cuillerée à soupe rase
- ☐ l : litre
- ☐ g : gramme
- ☐ x2 : doubler les proportions
- ☐ mn : minute
- ☐ h : heure

PROPORTIONS

Elles s'entendent pour un moule à tarte de 28 cm de diamètre (6 à 8 personnes environ).

LES INGRÉDIENTS

FARINE DE BLÉ :

Choisissez pour vos tartes une farine bise à 85 % et non une farine blanche (moins riche en minéraux et vitamines). De plus, orientez votre choix vers une farine biologique. Vous serez ainsi certaine que les blés utilisés n'auront été souillés par aucun produit chimique, toujours nocif pour votre santé.

HUILES DE PREMIÈRE PRESSION À FROID :

Il en existe de nombreuses variétés : olive, tournesol, carthame, sésame, pépins de courge qui donneront à vos tartes de savoureux parfums.

Les huiles non raffinées sont, en outre, riches en acides gras non saturés, précieux pour votre organisme.

LAIT D'AMANDES :

Obtenu en délayant de la purée d'amandes dans un peu d'eau (1 c. à c. pour 100 g d'eau), le lait d'amandes rend vos tartes et pâtisseries délicieuses et plus digestes.

A les mêmes emplois que le lait.

LAIT DE SOJA :

Obtenu à partir des fèves de soja mixées avec de l'eau,

ce lait est, comme le lait d'amandes, plus digeste que le lait de vache. Se trouve prêt à l'emploi dans les magasins de produits naturels et diététiques.

CRÈME DE SOJA parfum vanille :

Ressemblant à la crème pâtissière classique, ce dessert au soja, s'utilise avec des fruits de saison. Très pratique lorsque vous êtes pressée, car il se vend tout prêt en magasin de diététique.
Digeste et sain.

ŒUFS :

Les poules pondeuses produisant les œufs ne doivent pas provenir d'élevages en batteries. Elles doivent circuler au soleil et à l'air pur. Enfin l'alimentation de ces poules ne doit renfermer ni suif, ni agents conservateurs, anti-oxydants, anti-coccidiens et antibiotiques.
Vous trouverez ces œufs de qualité en magasins de produits naturels ou sur le marché, chez les producteurs.

SÉSAME :

Petits grains plats riches en phosphore et huile, le sésame assaisonne avec finesse, légumes, pains, tartes salées et sucrées.

SUCRE ROUX NON RAFFINÉ :

Contrairement au sucre blanc chimiquement pur, mais dévitalisé, le sucre non raffiné, et à plus forte raison, le sucre complet, renferme de nombreux éléments indispensables à la vie et notamment le magnésium.

SEL MARIN NON RAFFINÉ :

Comme le sucre, le sel marin a de nombreux avantages pour la santé sur le sel blanc. Il contient, en effet, des substances vitales de qualité (magnésium, iode...).

FRUITS ET LÉGUMES :

Nous les choisirons de culture biologique, dans la mesure du possible, afin qu'ils conservent l'intégralité de leurs principes nutritifs, et qu'ils ne soient pas souillés par des résidus d'engrais chimiques, pesticides et insecticides.

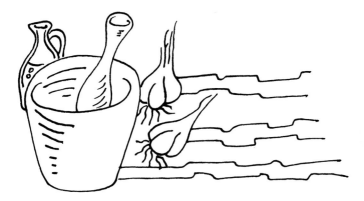

Les pâtes à tartes

Pâte briochée

- ☐ 1/2 verre de lait ou de soja
- ☐ 250 g farine bise
- ☐ 10 g levure de boulanger
- ☐ 1 c. à c. sucre roux
- ☐ parfum au choix : fleur d'oranger, cannelle, vanille etc...
- ☐ 50 g beurre ou graisse végétale
- ☐ 40 g sucre roux
- ☐ 1 œuf (pas trop froid)
- ☐ 1/2 tasse de lait tiède
- ☐ 1 pincée de sel

1 Mettre la farine dans un grand récipient.

2 Faire un trou au milieu ; dedans mettre la levure délayée dans le lait tiède et la cuillerée de sucre ; remuer doucement avec la farine du bord : on obtient une boule de pâte : c'est le levain.

3 Recouvrir alors d'une serviette et laisser lever 1/4 heure dans un endroit tiède.

4 Ajouter ensuite le parfum, le sel et la farine au levain, puis le lait, le beurre, les œufs et le sucre tout doucement.

5 Mélanger le tout et pétrir la pâte assez longtemps avec les mains jusqu'à ce qu'elle ne colle plus.

6 Recouvrir la pâte d'une serviette et laisser lever dans un endroit tiède 2 heures environ.

*   Idéale pour les tartes sucrées, en particulier les tartes aux quetsches, à la compote, aux pommes et à la cannelle.

Pâte brisée n° 1

- ☐ 200 g farine
- ☐ 100 g beurre ou graisse végétale
- ☐ 1/2 dl eau
- ☐ 1 pincée de sel

1 Mettre la farine sur la table ; y faire un puit en incorporant le beurre et le sel.

2 Travailler légèrement pour incorporer le beurre à la farine ; mouiller avec l'eau et pétrir rapidement avec la paume de la main.

3 Laisser reposer au moins 1 heure.

Pâte brisée n° 2

- ☐ 200 g farine
- ☐ 1 pincée de sel
- ☐ 10 g sucre
- ☐ 1 jaune d'œuf
- ☐ 100 g beurre ou beurre végétal
- ☐ 5 cl eau

1 Verser la farine dans un saladier.
2 Au centre, mettre le sel, le jaune d'œuf, l'eau, le sucre.
3 Mélanger peu à peu avec la farine des bords.
4 Ajouter le beurre ramolli en petits morceaux.
5 Pétrir le tout rapidement et laisser reposer la pâte rassemblée en boule, dans un endroit frais environ 1/4 h.

Pâte brisée n° 3

1 Procéder de la même manière que la pâte brisée n° 2.
2 Ajouter à la pâte 50 g de sucre roux non raffiné.

Pâte brisée au fromage blanc

☐ **200 g farine**
☐ **100 g beurre ou graisse végétale**
☐ **80 à 100 g fromage blanc**
☐ **1 pincée de sel**

1 Mettre la farine sur la table.
2 Y faire un puits en incorporant le beurre et le sel.
3 Travailler du bout des doigts pour incorporer le beurre à la farine.
4 Mouiller avec le fromage blanc et pétrir rapidement avec la paume de la main.
5 Laisser reposer 1 heure.

Pâte brisée minute

☐ **250 g farine bise**
☐ **1 dl huile**

- [ ] 1 dl eau chaude
- [ ] 1/2 c. à c. sel

1 Verser tous les ingrédients dans une boîte plastique (ou autre) fermant hermétiquement.
2 Secouer énergiquement la boîte quelques minutes.
3 La pâte est prête.
4 La fariner, former une boule et laisser reposer 1 heure.

Pâte épicée

- [ ] 200 g farine bise
- [ ] 100 g beurre ou beurre végétal
- [ ] 100 g comté râpé
- [ ] 1 c. à c. moutarde au citron
- [ ] 4 c. à s. eau
- [ ] piment ou paprika en poudre
- [ ] sel

1 Dans un saladier, mettre la farine, le sel, le piment et la moutarde.
2 Ajouter le beurre coupé en petits morceaux pour obtenir une pâte brisée.
3 Ajouter le comté, puis verser l'eau et rouler la pâte en boule.
4 Pétrir jusqu'à ce que la pâte soit bien souple.
5 L'étaler au rouleau.

Pâte feuilletée

- [ ] 200 g farine
- [ ] 100 g beurre ramolli ou beurre végétal
- [ ] 1 dl eau environ
- [ ] 5 g de sel

1 Mettre la farine sur une table en fontaine et verser l'eau et le sel.

2 Bien mélanger pour obtenir une pâte homogène.

3 Laisser reposer environ 25 minutes.

4 Etaler la pâte afin d'obtenir un carré ; mettre dessus le beurre ; replier les extrémités pour former un paquet.

5 Allonger la pâte au rouleau pour obtenir un rectangle.

6 Plier en trois : voilà un tour de donné ; replier à nouveau en trois dans le sens inverse pour le deuxième tour.

7 Laisser reposer 15 minutes et redonner 2 tours, puis encore 15 minutes et encore 2 tours.

8 Il est préférable de ne pas ouvrir le four en cours de cuisson, afin que le feuilleté lève convenablement.

Pâte à pain n° 1

- ☐ **250 g farine bise ou complète**
- ☐ **1/2 sachet de levure de boulanger**
- ☐ **15 g beurre ou beurre végétal**
- ☐ **1/8 l eau tiède**
- ☐ **1 pincée de sel**

1 Verser la farine et le sel dans un grand saladier.

2 Délayer la levure dans 2 c. à s. d'eau et l'ajouter à la farine.

3 Puis verser le beurre ramolli et l'eau et mélanger le tout vigoureusement à la cuillère en bois.

4 Recouvrir d'une serviette et laisser lever dans un endroit tiède 20 minutes.

5 Reprendre la pâte et la travailler une seconde fois.

Pâte à pain n° 2

- [ ] 250 g farine bise ou complète
- [ ] 1 pincée de sel
- [ ] 1/2 sachet de levure de boulanger
- [ ] 1/6 l eau

1 Délayer la levure dans un peu d'eau tiède.
2 Pendant qu'elle lève, mettre la farine dans un grand récipient avec le sel.
3 Ajouter au centre la levure délayée dans l'eau, ainsi que l'eau tiède.
4 Délayer d'abord à la cuillère en bois, puis à la main.
5 Pétrir vigoureusement la pâte en ajoutant un peu de ' farine pour qu'elle ne colle pas.
6 Couvrir d'un linge et mettre à lever dans un endroit tiède.

Pâte sablée

- [ ] 200 g farine
- [ ] 125 g beurre ou beurre végétal
- [ ] 125 g sucre non raffiné
- [ ] 1 pincée de sel
- [ ] 1 œuf

1 Mélanger le beurre ramolli, le sucre, le sel et l'œuf.
2 Ajouter la farine en la travaillant rapidement. Former une boule. Laisser reposer environ 2 heures recouvert d'un torchon.
3 Cette pâte est très fragile, donc très difficile à étaler.
4 La cuisson à blanc dure 20 minutes à four chaud.

Pâte sablée aux œufs

- ☐ 250 g farine bise
- ☐ 100 g sucre roux non raffiné
- ☐ 4 jaunes d'œufs
- ☐ 25 g beurre ou beurre végétal
- ☐ un zeste de citron râpé
- ☐ 1 pincée de sel
- ☐ 2 c. à s. lait (ou lait de soja ou lait d'amandes)

1 Mélanger sucre, farine et sel.
2 Former un puits au centre, y mettre les jaunes d'œufs, le beurre ramolli et le zeste de citron.
3 Travailler la pâte rapidement et former une boule.
4 Laisser reposer 1 heure au frais.

Tartes salées

Soyez imaginatifs ! Les recettes présentées ne sont pas statiques. Vous pouvez les améliorer et en changer les ingrédients au gré de votre goût et de ce que vous avez sous la main : en particulier, remplacer un légume par un autre, varier les aromates et les parfums...

Pizza béchamel

☐ pâte à pain
☐ 1/4 l sauce béchamel
☐ 20 cl sauce tomate au basilic
☐ 80 g comté râpé
☐ 2 oignons émincés
☐ 150 g champignons émincés
☐ 2 c. à s. huile d'olive
☐ 1 c. à c. persil haché
☐ 1 c. à c. origan
☐ sel
　☐ olives noires pour la décoration

1　Faire revenir les oignons et les champignons dans l'huile.
2　Etaler la pâte sur une plaque huilée (ou dans un moule à tarte).
3　Préparer la béchamel, lui ajouter le comté, puis la sauce tomate, le sel et le persil.
4　Bien mélanger, incorporer les oignons et les champignons.
5　Verser le tout sur la pâte.
6　Décorer d'olives noires et saupoudrer d'origan.
7　Cuire à four chaud 25 minutes.

*　Peut se réaliser avec d'autres légumes : courgettes, poivrons, carottes etc...

Pizza aux champignons n° 1

- ☐ pâte à pain
- ☐ 3 tomates coupées en rondelles
- ☐ 1 oignon émincé
- ☐ 10 olives noires
- ☐ origan, basilic en poudre
- ☐ 150 g champignons émincés
- ☐ 150 g comté râpé
- ☐ sel

1 Etendre la pâte sur une plaque huilée.
2 La garnir avec tous les ingrédients puis parsemer d'origan, de basilic et de fromage.
3 Cuire 20 mn environ à four très chaud.

* Au choix de chacun : champignons de Paris, cèpes, girolles.

Pizza aux champignons n° 2

- ☐ pâte à pain
- ☐ 1/4 l purée de tomates
- ☐ 200 g champignons en lamelles
- ☐ 1 gousse d'ail hachée
- ☐ 2 c. à s. huile d'olive
- ☐ thym et marjolaine en poudre
- ☐ sel et poivre

1 Faire revenir les champignons dans un peu d'huile d'olive.
2 Abaisser la pâte sur une plaque huilée.
3 Etaler sur cette pâte la purée de tomates.
4 Ajouter par-dessus l'ail haché et bien répartir.
5 Disposer sur le tout les champignons.
6 Saler, poivrer, saupoudrer de thym et de marjolaine.
7 Arroser d'huile d'olive.

* Vous pouvez parsemer cette pizza de quelques câpres.

Pizza à la niçoise

- [ ] pâte à pain
- [ ] 2 gros oignons émincés
- [ ] 300 g courgettes coupées en rondelles
- [ ] 300 g comté
- [ ] 1 poivron coupé en lanières
- [ ] huile d'olive
- [ ] sel et poivre

1 Faire revenir dans un peu d'huile d'olive, les oignons et les courgettes.
2 Etaler la pâte sur une tôle huilée.
3 Couper le fromage en fines tranches et les disposer sur la pâte.
4 Par-dessus recouvrir d'oignons et des courgettes, saler et poivrer, arroser d'un peu d'huile d'olive.
5 Décorer le dessus avec les lanières de poivron.
6 Faire cuire environ 20 mn à four très chaud et servir aussitôt.

Pizza aux oignons

- [ ] pâte à pain
- [ ] 1 kg oignons émincés
- [ ] 20 olives noires
- [ ] 1/2 verre d'huile d'olive
- [ ] 1 c. à s. origan
- [ ] 20 g beurre ou beurre végétal
- [ ] sel et poivre
- [ ] 1 c. à c. paprika en poudre

1 Faire fondre les oignons dans le beurre, saler, poivrer, ajouter un verre d'eau, couvrir et laisser mijoter 20 minutes.
2 Huiler votre plaque, étaler la pâte à la main en formant un grand rectangle.

3   Quand les oignons sont bien fondus et l'eau évaporée, les étaler bien régulièrement sur la pâte parsemée d'origan et de paprika.

4   Disposer les olives sur la pizza.

5   Enfourner et laisser cuire 20 mn.

* **L'origan ressemble à la marjolaine. Il parfume heureusement toutes les préparations à base de tomates.**

Pizza aux poivrons

☐ **pâte à pain**
☐ **2 poivrons coupés en lanières**
☐ **100 g mozzarella**
☐ **1/4 l purée de tomates**
☐ **huile d'olive**
☐ **10 olives noires**
☐ **herbes de Provence**
☐ **sel et poivre**

1   Mettre les poivrons à rissoler dans un peu d'huile d'olive.

2   Etaler la pâte sur une plaque huilée.

3   Sur la plaque, étaler la purée de tomates, ajouter dessus les poivrons, les olives, saler, poivrer et arroser d'huile d'olive.

4   Saupoudrer de quelques herbes de Provence et mettre à cuire à four très chaud 20 mn.

5   Servir aussitôt.

* **La mozzarella est un fromage italien obtenu sans affinage, sa durée de conservation est courte.**

Quiche à la tomate

☐ **pâte brisée n° 1 ou 2 ou pâte feuilletée**
☐ **1 kg tomates pelées et coupées en très petits morceaux**

- ☐ 4 œufs
- ☐ 150 g crème fraîche
- ☐ 1 dl lait ou lait de soja ou lait d'amandes
- ☐ 2 c. à s. huile d'olive
- ☐ 1 gousse d'ail hachée
- ☐ 1 c. à c. basilic haché
- ☐ sel, poivre

1 Saupoudrer les tomates de gros sel et les mettre à dégorger.

2 Pendant ce temps, foncer la tourtière beurrée, la cuire à blanc à four chaud 10 minutes.

3 Dans une terrine, mélanger les œufs, la crème, le lait, les tomates dégorgées et écrasées, l'ail et le basilic. Saler et poivrer.

4 Battre cette préparation très vigoureusement et la verser sur la pâte précuite.

5 Mettre à four chaud 1/2 heure.

* Attention aux tomates encores vertes : elles contiennent de la solanine qui peut être dangereuse.

Quiches aux légumes

- ☐ pâte brisée n° 1 ou 2
- ☐ 200 g petits pois écossés
- ☐ 200 g chou-fleur en petits bouquets
- ☐ 200 g carottes nouvelles coupées en rondelles
- ☐ 3 œufs
- ☐ 200 g crème fraîche
- ☐ 60 g comté râpé
- ☐ noix de muscade
- ☐ 1 c. à c. persil haché
- ☐ 1 c. à c. cerfeuil haché
- ☐ sel

1 Cuire à la vapeur les légumes (15 à 20 minutes).

2 Foncer les petits moules à tarte et les garnir de légumes. Saler légèrement.

3   Battre ensemble la crème, les œufs, le persil, le cer-
    feuil, la muscade et le sel.
4   Recouvrir les légumes de cette crème.
5   Saupoudrer de comté.
6   Cuire à four chaud 25 minutes.

*   **Ces petites quiches peuvent tenir lieu d'entrée, accompa-
    gnées d'une salade verte.**

Ratcha

☐   **250 g farine bise**
☐   **1 œuf**
☐   **1/2 yaourt**
☐   **2 c. à s. huile d'olive**
☐   **sel**

Garniture :
☐   **1 pointe de bicarbonate de soude (facultatif)**
☐   **50 g mozzarella râpée**
☐   **30 g comté râpé**
☐   **30 g beurre**
☐   **1 œuf**
☐   **1 c. à s. farine**
☐   **sel**

1   Faire une pâte avec la farine, l'œuf, le yaourt, l'huile,
    le sel et le bicarbonate.
2   Etendre cette pâte en rond sur 3 mm d'épaisseur.
3   Mélanger les fromages râpés, le beurre, l'œuf, le sel.
    la farine.
4   Pétrir ce mélange à la main et l'étaler au centre de
    la pâte.
5   Recouvrir avec les bords de la pâte pour former une
    bourse et couper le surplus.
6   Faire bien attention qu'il n'y ait aucun trou dans la
    pâte.
7   Cuire à la poêle dans un peu d'huile d'olive, sur feu
    vif, 10 mn environ.

8 Retourner et cuire de l'autre côté 10 minutes.

* **La mozzarella est un fromage de vache ou de bufflonne.**
* **La ratcha est une recette typique de Géorgie.**

Tarte aux aubergines

☐ **pâte brisée n° 1 ou 2 ou pâte épicée**
☐ **1 kg aubergines pelées et coupées en rondelles**
☐ **150 g fromage blanc**
☐ **1 c. à s. farine**
☐ **1 œuf**
☐ **2 c. à s. huile d'olive**
☐ **sel**

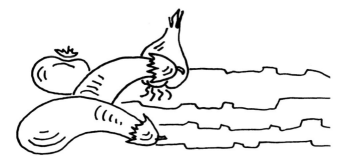

1 Faire cuire les aubergines à l'étouffée dans l'huile d'olive. Saler.
2 Mélanger le fromage blanc, la farine, l'œuf et le sel.
3 Foncer un moule à tarte et le précuire 15 minutes à four chaud.
4 Dès que les aubergines sont tièdes, les ajouter à la crème ci-dessus.
5 Verser le tout dans le fond de tarte précuit.
6 Repasser à four moyen 20 minutes.

Tarte aux aubergines et aux tomates

- [ ] pâte brisée n° 1 ou 3
- [ ] 1 kg aubergines coupées en dés
- [ ] 1 coulis de tomates (15 cl purée de tomates)
- [ ] 200 g fromage blanc
- [ ] 100 g comté râpé
- [ ] 4 œufs
- [ ] 2 c. à s. farine bise
- [ ] 2 gousses d'ail
- [ ] 1 c. à s. huile d'olive
- [ ] 2 c. à c. persil haché
- [ ] sel et poivre

1 Garnir une tourtière beurrée avec la pâte.
2 Faire fondre l'aubergine 20 mn dans l'huile d'olive et ajouter le coulis de tomates.
3 Mélanger le fromage blanc, le fromage râpé, les œufs battus en omelette, l'ail pilé, le persil, la farine et les aubergines, saler, poivrer.
4 Verser sur la pâte et cuire 35 mn à four moyen.

* L'ail est une plante porte-bonheur, qui neutralise presque tous les poisons.
* Choisir les aubergines bien mûres. Elles peuvent contenir, comme les tomates, de la solanine qui peut être dangereuse.

Tarte auvergnate

- [ ] pâte brisée n° 1 ou 2 ou pâte minute
- [ ] 30 g beurre
- [ ] 1/4 l lait ou lait d'amandes ou lait de soja
- [ ] 30 g farine bise
- [ ] 120 g cantal râpé
- [ ] 3 œufs
- [ ] 100 g olives noires dénoyautées

- [ ] sel
- [ ] noix de muscade
- [ ] poivre (facultatif)

1 Précuire le fond de tarte 10 minutes à four moyen.
2 Pendant ce temps, préparer la garniture.
3 Faire la béchamel avec le beurre, la farine et le lait.
4 Quand celle-ci est prête, laisser sur feu doux et ajouter le fromage ainsi que le sel, le poivre et la noix de muscade.
5 Hors du feu, ajouter les olives et les œufs en remuant bien.
6 Garnir le fond de tarte précuit de cette préparation.
7 Mettre à cuire à four chaud (220°) 20 minutes environ.

* On obtient du lait d'amandes en allongeant d'eau la purée d'amandes.

Tarte aux blettes

- [ ] pâte brisée n° 1 ou 2 ou pâte épicée
- [ ] 750 g blettes émincées
- [ ] 3 œufs
- [ ] 2 dl crème fraîche
- [ ] 100 g comté râpé
- [ ] 80 g raisins secs

1 Etaler la pâte dans une tourtière beurrée.
2 Après avoir fait cuire les blettes, les répartir sur le fond de la tarte.
3 Battre les œufs avec la crème fraîche et les raisins secs, verser sur les légumes.
4 Parsemer le tout du fromage râpé et cuire 30 mn à four chaud.

* On dit blettes ou bettes. Il s'agit d'une plante voisine de la betterave.

Tarte bleue

- pâte brisée n° 1 ou pâte à pain n° 1 ou 2
- 120 g roquefort
- 1/4 l sauce béchamel
- 2 œufs

1 Abaisser la pâte dans un moule à tarte graissé et faire cuire à blanc 10 minutes.
2 Pendant ce temps, préparer la béchamel et y ajouter les jaunes d'œufs et le roquefort ramolli.
3 Battre les blancs en neige et les incorporer à la crème.
4 Verser ce mélange sur la pâte.
5 Remettre à cuire à four chaud 15 minutes.

* Le roquefort est le plus ancien fromage des gaules....

Tarte bonne-mine

- pâte brisée n° 1 ou 2 ou pâte feuilletée
- 1 kg carottes
- 200 g comté râpé
- 2 œufs battus en omelette
- 100 g crème fraîche
- noix de muscade
- sel

1 Cuire les carottes à la vapeur ou à l'étouffée, puis les réduire en purée.
2 Leur ajouter la crème, le comté et les œufs.
3 Saler et ajouter la noix de muscade.

4 Foncer le moule à tarte graissé avec la pâte et recouvrir de la préparation ci-dessus.

5 Cuire à four chaud 3/4 heure.

Tarte aux carottes

- ☐ pâte brisée n° 1 ou 2 ou pâte minute
- ☐ 2 grosses carottes râpées
- ☐ 1 c. à c. persil haché
- ☐ 3 œufs battus en omelette
- ☐ 1 béchamel obtenue avec 1/4 l lait
- ☐ 80 g comté râpé
- ☐ 1/2 c. à c. ail haché
- ☐ sel

1 Etendre la pâte dans le moule à tarte beurré.

2 Mélanger les autres ingrédients.

3 Les verser sur le fond de tarte.

4 Cuire à four chaud 35 minutes.

Tarte chevrette

- ☐ pâte brisée n° 1 ou pâte feuilletée ou au fromage blanc x2
- ☐ 800 g épinards
- ☐ 400 g oignons émincés
- ☐ 2 tommes de chèvre bien fraîches
- ☐ sarriette fraîche ou en poudre
- ☐ huile d'olive
- ☐ sel

1 Etendre une bonne moitié de la pâte dans un moule à tarte graissé.

2 Faire revenir les oignons dans l'huile d'olive.

3 Couper les épinards en fines lanières et les faire cuire à l'étouffée. Saler.

4 Quand les oignons sont bien dorés, les disposer sur la pâte.

5   Verser dessus les épinards, puis une couche de tommes de chèvre émiettées.
6   Saupoudrer de sarriette.
7   Recouvrir le tout avec le reste de pâte. Piquer à la fourchette pour laisser échapper la vapeur.
8   Cuire à 200° 30 minutes environ.

Tarte au chou

☐ **pâte brisée n° 1 ou 2 ou pâte épicée**
☐ **1 petit chou émincé**
☐ **2 oignons émincés**
☐ **2 gousses d'ail**
☐ **2 c. à s. huile d'olive**
☐ **3 tomates émincées**
☐ **1 c. à s. persil haché**
☐ **2 œufs**
☐ **200 g comté râpé**

1   Etaler la pâte brisée ou épicée sur le moule beurré.
2   Cuire le chou à l'étouffée dans de l'huile d'olive environ 20 mn.
3   Mettre les oignons à blondir dans l'huile d'olive. Ajouter l'ail haché et les tomates, laisser cuire quelques minutes.
4   Ajouter le chou, le persil, les œufs battus en omelette, le fromage râpé, le sel et le poivre.
5   Verser sur la pâte.
6   Cuire 30 mn à four moyen.

*   **Ne jamais cuire le chou à l'eau.**

Tarte aux choux de Bruxelles

☐ **pâte brisée n° 1 ou 2**
☐ **1 kg choux de Bruxelles**

- ☐ 1 oignon émincé
- ☐ 150 g tofu coupé en dés
- ☐ 4 œufs
- ☐ 100 g crème fraîche
- ☐ 1 c. à s. huile de tournesol
- ☐ 1 c. à s. tamari
- ☐ sel
- ☐ noix de muscade

1 Faire revenir l'oignon dans l'huile.
2 Ajouter le tofu et le tamari et laisser cuire à feu vif 10 minutes.
3 Pendant ce temps cuire à la vapeur les choux (20 minutes environ).
4 Mélanger les œufs, la crème, la muscade et le sel.
5 Etendre la pâte dans la tourtière beurrée.
6 Disposer dessus les choux le tofu et les oignons.
7 Recouvrir du mélange crème-œufs.
8 Cuire à four chaud 3/4 heure.

* Le tofu est une sorte de « fromage de soja ».

Tarte au chou-fleur

- ☐ pâte brisée n° 1 ou 3
- ☐ 1 petit chou-fleur détaché en bouquets
- ☐ 2 dl crème fraîche
- ☐ 3 œufs
- ☐ 50 g comté
- ☐ 25 g pignons de pin
- ☐ ail et persil hachés
- ☐ noix de muscade
- ☐ sel et poivre

1 Garnir la tourtière beurrée de la pâte et cuire le fond de tarte à blanc pendant 10 mn à four chaud.
2 Cuire le chou-fleur à la vapeur.

3   Râper le fromage, mettre la crème fraîche dans un bol en ajoutant les œufs, le fromage, le sel, le poivre, la noix de muscade, l'ail et le persil.

4   Garnir le fond de tarte avec le chou-fleur et verser dessus la préparation à la crème.

5   Parsemer de pignons de pin.

6   Mettre à four chaud 20 mn et servir chaud.

Tarte aux cœurs de palmier

- ☐ **pâte brisée n° 1 ou minute x2**
- ☐ **5 c. à s. farine**
- ☐ **60 g beurre**
- ☐ **2 verres de lait ou lait de soja**
- ☐ **800 g cœurs de palmiers coupés en tronçons**
- ☐ **2 oignons émincés, revenus dans l'huile d'olive**
- ☐ **2 gousses d'ail hachées**
- ☐ **250 g tomates pelées et hachées**
- ☐ **1 c. à s. fines herbes hachées**
- ☐ **sel**

1   Foncer un moule à tarte avec la moitié de la pâte.

2   Dans une casserole, délayer la farine avec le beurre ramolli et le lait.

3   Ajouter ensuite les cœurs de palmier, les oignons, l'ail, les fines herbes , les tomate et le sel.

4   Verser sur la pâte et recouvrir avec le reste de pâte, bien coller les bords.

5   Piquer le dessus avec une fourchette pour laisser partir la vapeur.

6   Cuire à four chaud 40 minutes.

Tarte à la courge

- ☐ **pâte à pain n° 1 ou 2 ou pâte épicée**
- ☐ **800 g courge muscade coupée en petits dés**

- ☐ 2 œufs
- ☐ 1 c. à s. farine bise
- ☐ 2 c. à s. crème fraîche
- ☐ 80 g comté râpé
- ☐ 1 gousse d'ail hachée
- ☐ 1 c. à s. graines de sésame
- ☐ noix de muscade
- ☐ sel

1 Cuire la courge à l'étouffée ou à l'eau salée.

2 Quand elle est cuite, l'égoutter et la réduire en purée.

3 Y incorporer les œufs, la farine, la crème, le sel, la noix de muscade, le sésame, le comté et l'ail.

4 Etaler ce mélange sur la pâte.

5 Cuire à four chaud 25 mn.

* Si nous en croyons Confucius, ne courbez pas le dos en traversant un champ de courges, vous seriez soupçonné de vol.

Tarte aux courgettes

- ☐ pâte brisée n° 1 ou 2 ou au fromage blanc
- ☐ 1 kg de courgettes coupées en rondelles
- ☐ 1 gros oignon émincé

- [ ] 1 gousse d'ail hachée
- [ ] 80 g comté râpé
- [ ] 1 c. à s. farine bise
- [ ] 1 c. à s. basilic haché
- [ ] 2 c. à s. huile
- [ ] 2 œufs
- [ ] 4 c. à s. crème fraîche
- [ ] sel

1 Faire revenir l'oignon dans l'huile, puis ajouter les courgettes.

2 Laisser cuire jusqu'à cuisson complète des courgettes.

3 Mélanger les œufs, la crème, la farine, le sel, l'ail et le basilic.

4 Ajouter les courgettes.

5 Etendre la pâte dans une tourtière beurrée.

6 Verser la préparation aux courgettes dessus. Recouvrir de comté.

7 Cuire à four chaud 40 minutes.

* Recette idéale pour l'été.

Tarte aux épinards

- [ ] pâte brisée n° 1 ou 2 ou pâte feuilletée
- [ ] 600 g épinards
- [ ] 250 g fromage blanc
- [ ] 2 œufs
- [ ] 50 g comté râpé
- [ ] 1,5 dl lait ou lait d'amandes
- [ ] 1 gousse d'ail hachée
- [ ] noix de muscade
- [ ] sel et poivre

1 Foncer un moule à tarte graissé avec la pâte.

2 Cuire les épinards à l'eau, bien les égoutter et les hâcher finement.

3   Les mélanger avec les œufs, le comté, le fromage blanc, le lait, le sel et la muscade.

4   Verser ce mélange sur la pâte et cuire à four chaud 35mn.

*   **Cette tarte nous apportera un peu de fer....**

Tarte flambée

- ☐ **pâte à pain**
- ☐ **3 oignons émincés**
- ☐ **150 g tofu coupé en petits dés**
- ☐ **250 g fromage blanc**
- ☐ **2 œufs**
- ☐ **2 c. à c. farine**
- ☐ **1 c. à s. semoule de blé**
- ☐ **1 c. à s. tamari**
- ☐ **2 c. à s. huile d'olive**
- ☐ **muscade**
- ☐ **paprika**
- ☐ **sel, poivre**

1   Faire revenir les dés de tofu dans le tamari avec l'huile d'olive.

2   Oter le tofu et le remplacer par les oignons.

3   Laisser dorer quelques minutes.

4   Etaler la pâte à pain sur la plaque du four et la saupoudrer de semoule.

5   Recouvrir d'oignons et de tofu.

6   Mélanger la farine, les œufs, le fromage blanc, le sel et les épices.

7   Verser la pâte.

8   Cuire à four chaud 20 minutes

9   Servir très chaud.

Tarte aux girolles

- [ ] pâte brisée n° 1 ou 2 ou pâte feuilletée
- [ ] 50 g beurre
- [ ] 40 g farine bise
- [ ] 2 verres lait (ou lait de soja ou lait d'amandes)
- [ ] 100 g comté râpé
- [ ] 300 g girolles
- [ ] 2 c. à s. huile de sésame
- [ ] sel
- [ ] noix de muscade

1. Foncer la tourtière beurrée avec la pâte et la faire cuire à blanc 10 minutes à four chaud.
2. Faire revenir les champignons dans l'huile 10 minutes, les saler.
3. Préparer une béchamel avec le beurre, la farine et le lait.
4. Saler, ajouter la noix de muscade, le comté et les girolles.
5. Verser le tout sur le fond de tarte.
6. Cuire à four chaud 15 minutes.
7. Servir très chaud.

* A défaut de girolles, des champignons de Paris feront l'affaire !

Tarte aux légumes

- [ ] pâte brisée n° 1 ou 2 ou pâte épicée
- [ ] 2 carottes râpées
- [ ] 1 poireau coupé en tronçons
- [ ] 1/2 chou-vert coupé en lamelles
- [ ] 1 c. à s. huile d'olive
- [ ] 100 g crème fraîche
- [ ] 1 dl lait
- [ ] 2 œufs

- ☐ 1 feuille de laurier
- ☐ sel et poivre (facultatif)

1 Faire revenir tous les légumes avec le laurier dans l'huile environ 20 mn, saler et poivrer.

2 Etaler votre pâte dans un moule à tarte beurré.

3 Répartir les légumes sur la pâte.

4 Battre les œufs, la crème, le lait et le sel.

5 Verser ce mélange sur la tarte et faire cuire le tout 25 mn à four chaud.

Tarte au maïs

- ☐ pâte brisée n° 1 ou 2
- ☐ 250 g maïs en grains
- ☐ 1/2 pot de sauce tomate
- ☐ 3 œufs battus en omelette
- ☐ 3 c. à s. crème fraîche
- ☐ 80 g comté râpé
- ☐ 1 c. à c. ail et persil hachés
- ☐ sel

1 Etendre la pâte dans une tourtière beurrée. Mélanger bien tous les ingrédients.

2 Verser la préparation obtenue sur le fond de tarte.

3 Cuire à four chaud 35 minutes.

* Encore un emploi peu connu du maïs !

Tarte minute

- ☐ 1/2 l lait ou lait d'amandes
- ☐ 100 g farine
- ☐ 150 g comté râpé
- ☐ 3 œufs
- ☐ 200 g champignons émincés
- ☐ 1 c. à s. huile d'olive
- ☐ persil haché, noix de muscade et sel

1 Faire revenir les champignons dans l'huile d'olive.
2 Mélanger entre eux tous les ingrédients et en dernier les champignons cuits.
3 Verser le tout dans un moule à tarte bien graissé.
4 Cuir à four chaud 30 mn.

Tarte noix-fromage

☐ pâte brisée n° 3 à laquelle on incorpore 6 noix écrasées
☐ 10 noix hachées
☐ 8 cerneaux de noix
☐ 1 petit pot de crème fraîche
☐ 180 g comté râpé
☐ 2 c. à s. farine bise
☐ sel

1 Battre ensemble la crème, le comté, la farine et les noix hachées. Saler.
2 Abaisser la pâte dans la tourtière beurrée et garnir de la préparation ci-dessus.
3 Décorer avec les cerneaux entiers.
4 Cuire à four chaud 40 minutes.
5 Servir chaud.

* Les noix et le fromage sont une association savoureuse. Cette tarte est excellente aussi avec du roquefort.

Tarte à l'oignon

☐ pâte brisée n° 1 ou 2 ou pâte à pain
☐ 1 kg oignons
☐ 200 g crème fraîche
☐ 1 c. à s. huile d'olive
☐ 1 dl lait ou lait de soja
☐ 3 œufs
☐ 1/2 c. à c. paprika en poudre
☐ sel et poivre

1 Eplucher les oignons, les émincer, puis les faire blondir dans l'huile d'olive.

2 Garnir un moule à tarte graissé avec la pâte, répartir les oignons sur la pâte, passer 10 mn à four chaud.

3 Battre les œufs, la crème, le lait, le sel, le poivre, le paprika et verser ce mélange sur la tarte.

4 Cuire le tout à four chaud 25 mn.

* « Quand les oignons ont trois pelures, grande froidure ».

Tarte aux olives

☐ pâte brisée n° 1 ou pâte minute ou pâte à pain n° 2
☐ 3 œufs
☐ 120 g comté râpé
☐ 15 cl crème fraîche
☐ 1 c. à s. farine
☐ 1 verre d'eau
☐ 120 g olives dénoyautées
☐ herbes de Provence
☐ sel

1 Foncer un moule à tarte graissé avec la pâte.

2 Mélanger ensemble les œufs, le comté, la crème fraîche, la farine, l'eau, les olives, le sel et les herbes.

3 Verser le tout sur le fond de tarte et cuire à 200° environ 30 mn.

Tarte aux pointes d'asperges

☐ pâte brisée n° 1 ou 2
☐ 400 g pointes d'asperges
☐ 3 œufs
☐ 1 petit pot de crème fraîche
☐ 80 g comté râpé

- ☐ 1 c. à c. ciboulette hachée
- ☐ noix de muscade
- ☐ sel et poivre

1 Cuire les asperges à la vapeur.

2 Quand elles sont cuites, les égoutter.

3 Etendre la pâte dans le moule à tarte graissé et disposer dessus les pointes d'asperges.

4 Mélanger les œufs, la crème, le comté et l'assaisonnement.

5 Recouvrir les asperges de ce mélange.

6 Cuire à four chaud 25 mn.

* Idem avec un petit chou-fleur en bouquets. Remplacer alors la ciboulette par du persil et saupoudrer le chou-fleur de quelques pignons.

* Les téguments entourant la noix sont commercialisés sous le nom de fleurs de muscade ou macis.

Tarte aux poireaux

- ☐ pâte brisée n° 1 ou 2 ou pâte épicée
- ☐ 10 poireaux moyens
- ☐ 2 c. à s. huile d'olive
- ☐ 140 g comté râpé
- ☐ 1 c. à s. farine bise
- ☐ 1 oignon haché
- ☐ 2 gousses d'ail hachées fin
- ☐ persil haché
- ☐ noix de muscade
- ☐ sel

1 Couper les poireaux en petits morceaux (ôter la partie verte trop dure) et les cuire à la vapeur.

2 Pendant ce temps, faire revenir l'oignon dans l'huile puis les poireaux cuits.

3   Délayer la farine dans un peu d'eau et l'ajouter aux poireaux ainsi que l'ail, le sel, la noix de muscade, le persil et le comté.

4   Etendre la pâte dans un moule à tarte graissé et verser la préparation par-dessus.

5   Cuire à four chaud 20 mn.

*   **La noix de muscade est originaire des Molusques (Indonésie).**
*   **Tout comme l'ail, le poireau contient une huile sulfureuse bénéfique.**

Tarte aux poivrons

☐ **pâte brisée n° 1 ou pâte épicée ou pâte minute**

☐ **1 gros oignon haché**

☐ **2 gros poivrons (1 rouge et 1 vert)**

☐ **2 gousses d'ail hachées**

☐ **1,5 dl lait ou lait de soja**

☐ **2 œufs**

☐ **50 g pain complet ou biscottes émiettées**

☐ **1/2 c. à c. persil haché**

☐ **2 c. à s. huile d'olive**

☐ **sel**

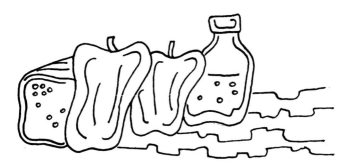

1 Foncer le moule à tarte graissé avec la pâte.
2 Faire revenir l'oignon dans l'huile et ajouter les poivrons coupés en lanières et l'ail.
3 Laisser cuire quelques minutes.
4 Battre les œufs, le lait et le pain et verser sur les légumes avec l'assaisonnement.
5 Bien mélanger et verser sur la pâte.
6 Cuire à 200° 40 mn.

Tarte primeur

- [ ] pâte brisée n° 1 ou 2 ou au fromage blanc
- [ ] 250 g petits pois écossés
- [ ] 300 g carottes nouvelles coupées en rondelles
- [ ] 200 g oignons blancs émincés
- [ ] 100 g navets nouveaux coupés en dés
- [ ] 1/2 l lait ou lait de soja
- [ ] 3 œufs
- [ ] 120 g comté râpé
- [ ] 1 c. à c. persil haché
- [ ] 1 c. à c. ciboulette hachée
- [ ] sel

1 Abaisser la pâte dans un moule à tarte graissé.
2 Cuire tous les légumes à l'étouffée ou à la vapeur.
3 Battre ensemble le lait, les œufs, le comté, le sel et les herbes.
4 Quand les légumes sont cuits, les disposer sur la pâte.
5 Verser dessus le mélange lait-œufs....
6 Cuire à 190° 30 mn environ.

* Cette tarte annonce l'été : c'est une valse de légumes frais.

Tarte printanière

- [ ] pâte brisée n° 1 ou 2
- [ ] 700 g haricots verts
- [ ] 3 oignons émincés
- [ ] 2 c. à s. huile d'olive
- [ ] 2 gousses d'ail hachées
- [ ] 2 c. à s. farine
- [ ] 200 g comté râpé
- [ ] 10 cl crème fraîche
- [ ] 1 c. à c. persil haché
- [ ] sel

1 Abaisser la pâte dans un moule à tarte graissé.
2 Couper les haricots en petits tronçons de 3 cm et les mettre à cuire à la vapeur.
3 Faire revenir les oignons dans l'huile, puis ajouter les haricots cuits, l'ail, le persil et la farine délayée dans un peu d'eau.
4 Retirer du feu, saler, ajouter le comté et la crème fraîche, bien mélanger le tout.
5 Verser cette préparation sur le fond de tarte et cuire à four chaud 25 minutes.

* Le comté est une des meilleures sources de calcium.
* L'ail est originaire de l'Asie Centrale.

Tarte à la tomate

- [ ] pâte brisée n° 1 ou minute ou pâte à pain n° 1 ou 2
- [ ] 10 petites tomate

- [ ] 140 g mozzarella
- [ ] 3 échalotes hachées
- [ ] 2 gousses d'ail hachées
- [ ] 2 c. à s. moutarde au citron
- [ ] 4 c. à s. huile d'olive
- [ ] 12 olives noires
- [ ] 3 c. à c. sauce tomate
- [ ] marjolaine en poudre
- [ ] herbes de Provence
- [ ] sel

1 Plonger les tomates dans l'eau bouillante, puis les peler rapidement, les couper en tranches, les saler et les laisser reposer 1 heure environ.

2 Abaisser la pâte dans une tourtière graissée, la piquer avec une fourchette et la recouvrir de pois chiches.

3 Cuire cette pâte 15 mn à four chaud, au sortir du four ôter les pois chiches, tartiner la pâte de moutarde et recouvrir avec les tranches de tomates.

4 Parsemer de mozzarella.

5 Recouvrir le tout du mélange suivant : sauce tomate, huile, herbes de Provence, marjolaine, sel, échalotes et ail.

6 Décorer avec les olives et passer à four chaud 20 mn.

7 Servir très chaud.

Tarte à la tomate et à la menthe

- [ ] pâte brisée n° 1 ou 2 ou pâte épicée
- [ ] 700 g tomates pelées
- [ ] 250 g oignons
- [ ] 200 g fromage blanc
- [ ] 2 œufs
- [ ] 100 g comté râpé
- [ ] 2 c. à s. huile d'olive
- [ ] feuilles de menthe hachées ou en poudre

- ☐ quelques olives noires
- ☐ sel

1. Faire dorer les oignons émincés dans la poêle et ajouter les tomates, laisser cuire 20 mn.
2. Etaler la pâte dans un moule beurré.
3. Mélanger le fromage blanc, les œufs, le fromage râpé, la menthe, le sel et le poivre.
4. Répartir sur le fond de tarte les oignons et la tomate, puis verser le mélange.
5. Répartir les olives noires sur le dessus.
6. Mettre à four très chaud environ 30 mn.
7. Servir chaud ou tiède.

* Il faut bien choisir la menthe verte (mentha spicata).

Tarte verte

- ☐ pâte brisée n° 1 ou 2 ou pâte feuilletée
- ☐ 500 g feuilles d'épinards hachées
- ☐ 3 oignons émincés
- ☐ 2 gousses d'ail hachées
- ☐ 300 g tomates épluchées, épépinées et coupées en morceaux
- ☐ 75 g comté râpé

- ☐ 2 c. à s. huile d'olive
- ☐ noix de muscade
- ☐ sel

1 Abaisser la pâte et en garnir la tourtière beurrée.

2 Cuire les épinards à l'étouffée ou à la vapeur. Saler et ajouter la noix de muscade.

3 Faire revenir les oignons dans l'huile, puis ajouter les tomates, l'ail et le sel.

4 Recouvrir le fond de tarte d'une couche du mélange oignons-tomates puis d'une couche de comté.

5 Verser alors la totalité des épinards, le reste des tomates et terminer par le comté.

6 Passer à four chaud 200° 3/4 heure environ.

* **Les épinards peuvent être remplacés par des blettes.**

Tourte auvergnate

- ☐ pâte b risée n° 1 ou 2 ou pâte feuilletée x2
- ☐ 1 kg pommes de terre pelées, coupées en tranches
- ☐ 250 g oignons émincés
- ☐ 2 gousses d'ail hachées
- ☐ 20 cl crème fraîche
- ☐ noix de muscade
- ☐ sel et poivre

1 Foncer un moule à tarte avec la moitié de la pâte.

2 Disposer une couche de pommes de terre, une d'oignons, saler, muscader, ajouter l'ail et recommencer jusqu'à épuisement des ingrédients.

3 Recouvrir avec le reste de la pâte et piquer avec une fourchette.

4 Cuire à four chaud 50 mn.

5 Sortir la tourte, découper une calotte de 10 cm de diamètre au centre et verser la crème fraîche sur les pommes de terre.

6 Refermer l'ouverture et remettre au four 10 mn.

* **L'ail facilite l'évacuation de la bile et exerce une action souveraine sur les affections d'ordre respiratoire.**

Tourte trois fromages

- [ ] **pâte feuilletée x2**
- [ ] **100 g roquefort**
- [ ] **100 g cantal râpé**
- [ ] **100 g comté râpé**
- [ ] **1 jaune d'œuf (facultatif)**
- [ ] **1 pincée de paprika**
- [ ] **sel**

1 Garnir la tourtière beurrée avec la moitié de la pâte.
2 Ecraser à la fourchette le roquefort.
3 Le mélanger au comté et au cantal.
4 Saler, ajouter le paprika.
5 Etaler cette préparation sur le fond de tarte et recouvrir de la deuxième moitié de la pâte.
6 Coller les bords en les pinçant.
7 Badigeonner le dessus avec le jaune d'œuf délayé dans 1 c. à s. d'eau.
8 Cuire à four chaud 3/4 heure.

Tartes sucrées

Comme pour les tartes salées, la liste des ingrédients n'est pas imposée. Alors jouez avec votre imagination en mélangeant les parfums, les couleurs, les différents fruits, fruits secs....

Vous obtiendrez ainsi des tartes originales et personnalisées.

Apple pie

- ☐ pâte brisée n° 1 ou 2 x2
- ☐ 800 g pommes (granny smith ou reinettes) épluchées et coupées en tranches épaisses
- ☐ le jus d'un citron
- ☐ 180 g sucre non raffiné
- ☐ 1 c. à s. farine
- ☐ 1 c. à c. cannelle
- ☐ 1 pincée de muscade râpée
- ☐ le zeste râpé d'un citron
- ☐ le zeste râpé d'une orange
- ☐ 70 g raisins secs
- ☐ 2 c. à s. jus d'orange

1. Foncer un moule à tarte avec la moitié de la pâte.
2. Mettre les tranches de pommes à tremper dans l'eau additionnée de jus de citron.
3. Mélanger le sucre, la farine, la cannelle, la noix de muscade, les zestes d'orange et de citron.
4. Saupoudrer le fond de tarte avec un peu de ce mélange.
5. Puis disposer une couche de pommes et garnir de raisins secs.

6 Saupoudrer à nouveau du mélange d'épices.

7 Remettre une nouvelle couche de pommes, de raisins, d'épices, et ce, jusquà ce que le moule soit rempli.

8 Humecter alors avec le jus d'orange et recouvrir avec la pâte restante.

9 Décorer le dessus avec la pâte et piquer avec une fourchette puis laisser partir la vapeur.

10 Cuire à four moyen 40 mn environ.

* **Cannelle : c'est l'écorce du cannellier, récoltée sur des arbres de trois ans d'âge.**

Linzertorte

☐ **250 g farine bise**

☐ **90 g beurre ou beurre végétal**

☐ **120 g amandes en poudre**

☐ **100 g sucre non raffiné**

☐ **2 œufs**

☐ **1 c. à s. cannelle**

☐ **le zeste d'un citron**

☐ **1 pincée de sel**

☐ **confiture de framboises**

1 Verser dans un saladier la farine, les amandes, le sucre, le sel, le citron et la cannelle.

2 Bien mélanger.

3 Ajouter les œufs et le beurre coupé en petits morceaux.

4 Pétrir le tout rapidement comme une pâte brisée.

5 Laisser reposer 2 à 3 heures au frais.

6 Abaisser à la main les 3/4 de la pâte dans un moule à tarte graissé.

7 Recouvrir alors d'une bonne couche de confitures de framboises.

8 Etendre le reste de pâte et découper des lanières d'un cm environ de large.

9 Disposer les lanières sur la tarte pour former des croisillons.

10 Mettre à four moyen et cuire 30 à 40 mn.

11 Démouler quand la tarte est bien froide.

Linzertorte au chocolat

- [ ] **70 g chocolat râpé**
- [ ] **150 g sucre roux non raffiné**
- [ ] **150 g beurre**
- [ ] **2 jaunes d'œufs**
- [ ] **140 g poudre d'amandes**
- [ ] **300 g farine bise**
- [ ] **1 c. à c. cannelle en poudre**
- [ ] **le zeste râpé d'une demi-orange**
- [ ] **confiture de framboises**

1 Battre le sucre et le beurre jusqu'à ce que le mélange blanchisse. Ajouter les jaunes d'œufs, les amandes, la cannelle, le chocolat, le zeste et la farine.

2 Pétrir la pâte pour la rendre homogène.

3 Laisser reposer 30 minutes.

4 Foncer un moule à tarte beurré avec les 3/4 de la pâte et recouvrir de confiture de framboises.

5 Etendre le reste de pâte et découper des lanières d'un cm environ de large.

6 Disposer ces lanières sur la tarte pour former des croisillons.

7 Cuire au four préchauffé à 180° 40 minutes.

* **Meilleure le lendemain !**

La panado

- [ ] pâte à pain ou briochée
- [ ] 600 g pommes crues râpées
- [ ] 100 g sucre roux non raffiné
- [ ] eau de fleur d'oranger

1 Foncer la tourtière beurrée des 3/4 de la pâte.
2 Garnir de pommes râpées.
3 Saupoudrer de sucre.
4 Décorer avec des croisillons de pâte (bandes de pâte entrecroisées).
5 Mettre au four chaud 20 minutes.
6 Au sortir du four, saupoudrer à nouveau de sucre et asperger de quelques gouttes de fleur d'oranger.

* C'est l'un des treize desserts traditionnels du Noël provençal.

Pie aux poires

- [ ] pâte brisée n° 1 ou 3 ou au fromage blanc x2
- [ ] 1 kg poires pelées et coupées en lamelles
- [ ] 60 g sucre roux non raffiné
- [ ] 1 c. à c. miel
- [ ] cannelle ou vanille
- [ ] lait d'amandes épais ou crème fraîche
- [ ] 60 g semoule complète

1 Foncer un moule à tarte beurré avec la moitié de la pâte. Recouvrir de semoule.
2 Disposer dessus les lamelles de poires.
3 Saupoudrer de sucre et de cannelle.
4 Recouvrir de pâte en pinçant les bords à l'aide de vos doigts mouillés.

5   Délayer le miel dans un peu d'eau et badigeonner le dessus de pâte au pinceau.

6   Piquer le dessus de pâte à la fourchette pour que la vapeur puisse s'échapper lors de la cuisson.

7   Cuire à four chaud 30 minutes.

8   Avec un couteau, découper au centre de la tarte un rond de pâte, et verser la crème fraîche.

9   Refermer l'ouverture avec la pâte.

10 Remettre au four 5 minutes.

*   Peut se manger tiède ou froide.

Streuselkuchen

☐ **400 g pâte briochée**
☐ **100 g beurre**
☐ **120 g farine bise**
☐ **50 g sucre non raffiné**
☐ **1/2 c. à c. cannelle en poudre**
☐ **4 grosses pommes épluchées et coupées en tranches**

1   Abaisser la pâte dans un moule à tarte et laisser lever dans un endroit tiède.

2   Faire fondre le beurre dans une casserole, ajouter la farine et mélanger rapidement.

3   Incorporer ensuite le sucre et la cannelle, laisser refroidir et hacher finement.

4 Disposer sur le fond de tarte les rondelles de pommes et recouvrir le tout du hachis précédent (ou Streusel).

5 Cuire à 180° 40 minutes.

Tarte aux abricots et aux noix

☐ pâte brisée n° 1 ou 3
☐ 1 kg abricots coupés en deux
☐ 70 g noix concassées grossièrement
☐ 1 c. à s. arrow-root
☐ 2 c. à s. sève d'érable ou sucre ou malt d'orge

1 Foncer la tourtière beurrée avec la pâte et la cuire à blanc 20 minutes.

2 Disposer les demi-abricots et saupoudrer de noix.

3 Diluer l'arrow-root dans un verre d'eau, ajouter la sève d'érable et laisser épaissir quelques minutes sur le feu.

4 Verser sur les abricots et cuire à four chaud 15 minutes.

5 Laisser refroidir.

* On peut remplacer les abricots par des prunes, des poires, des pêches etc... et les noix par des amandes, de la noix de coco, des noisettes etc....

Tarte alsacienne

☐ pâte brisée n° 1 ou pâte briochée ou au fromage blanc
☐ 6 grosses pommes épluchées et coupées en tranches
☐ 100 g sucre non raffiné
☐ 10 cl lait ou lait de soja
☐ 10 cl crème fraîche
☐ 2 œufs
☐ vanille en poudre

1. Préparer le flan, battre les œufs avec 75 g sucre, puis ajouter la crème , le lait et la vanille.
2. Abaisser la pâte dans un moule à tarte beurré.
3. Disposer dessus les pommes et saupoudrer avec le sucre restant.
4. Mettre à four chaud 25 mn.
5. Retirer du four et verser le flan sur les pommes.
6. Remettre au four 10 à 15 mn.

* **Peut se manger tiède ou froide.**
* **Le lait de soja s'obtient après broyage des graines de soja et cuisson à l'eau.**

Tarte amandine

- ☐ **pâte brisée n° 3 ou au fromage blanc**
- ☐ **3 œufs**
- ☐ **1 petit pot de crème fraîche**
- ☐ **150 g sucre roux non raffiné**
- ☐ **100 g poudre d'amandes**
- ☐ **120 g amandes effilées**
- ☐ **1/2 c. à c. vanille en poudre**
- ☐ **1 petit verre de rhum**

1. Battre vigoureusement les œufs, le sucre, la vanille, le rhum, la poudre d'amandes et la crème.
2. Foncer une tourtière beurrée avec la pâte.
3. Garnir le fond de tarte de la préparation aux amandes.
4. Cuire à four modéré 45 minutes.
5. 5 minutes avant la fin de la cuisson, saupoudrer la tarte d'amandes effilées.
6. Laisser refroidir complètement.
7. Démouler.

Tarte américaine

- ☐ pâte brisée n° 1 ou 2 ou pâte feuilletée
- ☐ 200 g raisins secs
- ☐ 200 g marmelade de fraises
- ☐ 150 g amandes râpées
- ☐ 200 g fromage blanc
- ☐ 2 œufs

1 Partager la pâte brisée en deux, en aplatir une partie, la disposer dans un moule à tarte, piquer le fond et laisser reposer.

2 La garnir avec la marmelade de fraises.

3 Bien mélanger le fromage blanc, les œufs, les raisins secs et étaler le tout sur la marmelade.

4 Par ailleurs, incorporer les amandes râpées à la deuxième moitié de la pâte brisée, puis couvrir la tarte du mélange.

5 Bien sceller les bords et mettre à cuire 30 mn à feu doux.

Tarte andalouse

- [ ] pâte brisée n° 1 ou 3
- [ ] 125 g chocolat à croquer
- [ ] 30 g beurre
- [ ] 60 g amandes en poudre
- [ ] 100 g sucre roux non raffiné
- [ ] 2 blancs d'œufs
- [ ] quelques cerises à l'eau de vie (facultatif)

1 Foncer la tourtière beurrée avec la pâte.
2 La cuire à blanc 25 minutes.
3 Faire fondre au bain-marie le chocolat et le beurre.
4 Les verser sur le fond de tarte précuit.
5 Mélanger la poudre d'amandes, le sucre, les blancs d'œufs et battre le tout énergiquement.
6 Verser dans une poche à douille et recouvrir le gâteau tout en décorant.
7 Passer 10 minutes à four chaud.
8 Au sortir du four, décorer la pâte avec les cerises.

Tarte antillaise

- [ ] pâte à tarte au fromage blanc
- [ ] 3 petites bananes coupées en rondelles
- [ ] 4 rondelles d'ananas coupées en morceaux
- [ ] 2 œufs
- [ ] 1 c. à s. farine bise
- [ ] 200 g fromage blanc
- [ ] 1 c. à c. cannelle en poudre
- [ ] 100 g sucre roux non raffiné

1 Foncer un moule à tarte beurré avec la pâte.
2 Mélanger tous les ingrédients.
3 Verser sur la pâte.
4 Cuire à four chaud 40 minutes.

* Se mange chaude de préférence.

Tarte à la banane et aux raisins

- [ ] pâte sablée
- [ ] 5 bananes réduites en purée
- [ ] le jus de 2 citrons
- [ ] 2 œufs
- [ ] 50 g sucre roux non raffiné
- [ ] 2 c. à s. crème fraîche
- [ ] 300 g raisins blancs égrenés
- [ ] gingembre râpé

1. Mélanger les bananes avec le jus de citron. Puis avec la crème et le gingembre.
2. A part, battre les œufs avec le sucre et ajouter les deux préparations.
3. Bien remuer.
4. Foncer la tourtière beurrée avec la pâte.
5. Verser le mélange sur le fond de tarte.
6. Cuire à four chaud 40 minutes.
7. Décorer la tarte avec les grains de raisins.

* C'est en 1655 que la première boisson à base de jus de citron fut vendue dans les rues de Paris.

Tarte aux cerises

- ☐ pâte brisée n° 1 ou 3 ou pâte à brioche
- ☐ 250 g fromage blanc sucré
- ☐ 50 g sucre roux non raffiné
- ☐ 400 g cerises dénoyautées
- ☐ 80 g amandes en poudre
- ☐ 60 g semoule complète

1 Foncer la tourtière beurrée avec la pâte.
2 Recouvrir le fond de pâte de semoule.
3 Garnir de fromage blanc.
4 Disposer les cerises.
5 Saupoudrer de sucre et de poudre d'amandes.
6 Cuire à four chaud 40 minutes.

* **Délicieuse tiède.**

Tarte aux clémentines et aux kiwis

- ☐ pâte feuilletée
- ☐ 80 g riz blanc ou demi-complet
- ☐ 1/2 l lait ou lait de soja ou lait d'amandes
- ☐ 2 œufs
- ☐ 2 dl crème fraîche
- ☐ 100 g sucre roux non raffiné
- ☐ 3 clémentines coupées en tranches
- ☐ 4 kiwis coupés en rondelles
- ☐ 1/2 c. à c. vanille en poudre

1 Cuire le riz et la vanille jusqu'à ce qu'il n'y ait plus de liquide.
2 Oter du feu, ajouter la crème fraîche, le sucre, le jus d'une clémentine, 2 jaunes d'œufs et délicatement les blancs battus en neige.
3 Garnir la tourtière beurrée de la pâte.

4 Verser la préparation ci-dessus sur le fond de tarte.

5 Cuire à four chaud 30 minutes.

6 Laisser refroidir et décorer la tarte en alternant clémentines et kiwis.

7 Servir très frais.

* **La même avec des rondelles de citron cuites quelques minutes dans un sirop de sucre.**
* **Les kiwis sont riches en vitamine C.**

Tarte à l'envers

☐ **pâte sablée ou feuilletée**
☐ **1 kg pommes acides coupées en quartiers**
☐ **80 g beurre ou beurre végétal**
☐ **80 g sucre roux non raffiné**
☐ **cannelle**
☐ **250 g crème fraîche**

1 Mettre 80 g beurre dans un moule à manqué, faire fondre à feu doux ; lorsqu'il mousse verser le sucre et laisser chauffer 1 mn.

2 Disposer dessus les pommes bien serrées.

3 Mettre le moule sur feu vif pendant 5 mn pour caraméliser les pommes. Laisser refroidir.

4 Etendre la pâte et la poser sur les pommes, rentrer les bords de la pâte entre la paroi du moule et les pommes.

5 Mettre au four et laisser cuire 30 mn.

6 Après cuisson, démouler la tarte en retournant le moule sur un plat.

Tarte aux framboises

- [ ] pâte brisée n° 3
- [ ] 300 g de framboises
- [ ] 100 g de cassis
- [ ] 150 g sucre roux non raffiné
- [ ] semoule ou chapelure

1 Foncer la tourtière beurrée avec la pâte.
2 Saupoudrer de chapelure ou de semoule et garnir de framboises et cassis.
3 Saupoudrer de sucre.
4 Cuire à four chaud 30 minutes.
5 Servir tiède.

Tarte au fromage blanc

- [ ] pâte brisée n° 1 ou 2
- [ ] 500 g fromage blanc
- [ ] 200 g crème fraîche
- [ ] 3 c. à s. farine
- [ ] 4 jaunes d'œufs
- [ ] 4 blancs d'œufs montés en neige
- [ ] 4 c. à s. sucre non raffiné
- [ ] 100 g raisins secs (facultatif)
- [ ] 1 pointe de vanille en poudre
- [ ] le zeste d'un citron

1 Foncer un moule à tarte avec la pâte.
2 Mélanger tous les autres ingrédients, en dernier les blancs d'œufs montés en neige.
3 Verser cette préparation sur la pâte.
4 Cuire à four chaud 30 à 40 mn.

Tarte aux fruits minute

- ☐ pâte brisée n° 1 ou 2 ou pâte sablée
- ☐ 400 g fraises ou autres fruits de saison
- ☐ 1 boîte de crème au soja parfum vanille ou à défaut une crème pâtissière

1 Foncer le moule graissé avec la pâte et le cuire à blanc 25 mn.
2 Recouvrir avec la crème.
3 Disposer les fraises sur la crème et saupoudrer légèrement de sucre.

* La vanille est originaire du Mexique. La gousse de vanille subit une fermentation puis un séchage avant commercialisation.

Tarte aux fruits secs

- ☐ pâte brisée n° 1 ou au fromage blanc
- ☐ 80 g raisins secs mis à tremper
- ☐ 5 figues hachées
- ☐ 5 pruneaux dénoyautés et coupés en petits morceaux
- ☐ 10 dattes dénoyautées et coupées en petits morceaux
- ☐ 100 g amandes hachées grossièrement
- ☐ 3 œufs
- ☐ 200 g crème fraîche
- ☐ 50 g sucre roux non raffiné ou miel

1 Mélanger les œufs, la crème , le sucre et les fruits secs.
2 Foncer une tourtière beurrée et garnir du mélange ci-dessus.
3 Cuire 40 minutes à four moyen.

* Se sert tiède de préférence.
* L'œuf est riche en protéines. Son équivalence protéique est : 20 g de parmesan, ou 30 g de lentilles, ou 20 g de soja, ou 30 g d'amandes.

Tarte aux kiwis n° 1

- ☐ pâte brisée n° 1 ou 2 ou pâte sablée
- ☐ 1/2 l lait ou lait d'amandes ou lait de soja
- ☐ 4 jaunes d'œufs
- ☐ 100 g sucre non raffiné
- ☐ 70 g farine
- ☐ 80 g amandes en poudre
- ☐ 4 kiwis pelés et coupés en rondelles
- ☐ 3 c. à s. gelée de groseilles
- ☐ 1 c. à c. fleur d'oranger

1 Abaisser la pâte dans un moule à tarte graissé et le cuire à blanc à 180° pendant 30 mn.

2 Pendant ce temps, faire bouillir le lait.

3 Travailler les jaunes d'œufs et le sucre jusqu'à ce que le mélange blanchisse.

4 Ajouter alors la farine, puis le lait bouillant.

5 Bien remuer et remettre à feu doux jusqu'à épaississement.

6 Au premier bouillon, retirer du feu et laisser tiédir.

7 Ajouter les amandes et parfumer à la fleur d'oranger.

8 Garnir de cette crème le fond de tarte.

9 Disposer les rondelles de kiwis par-dessus et napper avec la gelée de groseilles, délayée préalablement avec un peu d'eau.

10 Servir très frais.

* Si vous manquez de temps, remplacer la crème aux œufs par un paquet de crème de soja parfum vanille.
* Le kiwi s'appelle aussi actinidia

Tarte aux kiwis n° 2

- [ ] **pâte brisée n° 1 ou pâte sablée ou au fromage blanc**
- [ ] **140 g sucre non raffiné**
- [ ] **40 g farine**
- [ ] **30 cl lait ou lait de soja**
- [ ] **3 œufs**
- [ ] **50 g beurre**
- [ ] **1 citron (vert de préférence)**
- [ ] **2 pots de yaourts**
- [ ] **200 g crème chantilly (facultatif)**
- [ ] **4 kiwis**
- [ ] **1 pincée de sel**

1 Préchauffer le four à 200° et cuire la pâte à blanc dans le moule à tarte 30 mn.

2 Dans une casserole, mélanger la farine, le sucre et le sel.

3 Ajouter le lait et cuire à feu doux en remuant constamment jusqu'à ce que le mélange épaississe, retirer alors du feu.

4 Dans un bol, battre les œufs et quand le mélange précédent est légèrement refroidi, les incorporer en remuant bien.

5 Remettre sur feu doux (ne pas faire bouillir) et cuire 3 mn en tournant. Oter du feu.

6 Ajouter à ce mélange, le beurre, les yaourts, le jus et le zeste d'un citron.

7 Laisser refroidir le tout et verser ensuite sur le fond de tarte cuit.

8 Eplucher les kiwis, les couper en rondelles et les disposer sur la tarte.

9 Décorer ensuite avec la chantilly (facultatif).

Tarte lorraine

- [ ] **pâte brisée n° 1 ou 3 ou pâte sablée**
- [ ] **1 kg cerises dénoyautées**

- ☐ **125 g crème fraîche**
- ☐ **100 g sucre roux non raffiné**
- ☐ **2 c. à s. sucre glace (obtenu en mixant du sucre roux)**
- ☐ **4 macarons émiettés**

1 Foncer le moule à tarte beurré de la pâte, le garnir de légumes secs et le cuire à blanc 20 minutes à four chaud.

2 Au sortir du four, disposer les cerises sur le fond de tarte, saupoudrer de sucre et des miettes de macarons.

3 Repasser à four doux (120°) 20 minutes.

4 Laisser refroidir la tarte, puis la démouler.

5 Au moment de servir, battre au fouet la crème fraîche jusqu'à obtenir une crème chantilly et ajouter le sucre glace.

6 Décorer la tarte à l'aide d'une poche à douille et servir.

Tarte made in Israël

- ☐ **pâte brisée n° 1 ou 2 ou pâte sablée**
- ☐ **1 pamplemousse**
- ☐ **1 orange**
- ☐ **2 mandarines**
- ☐ **1/2 avocat**
- ☐ **1 pincée de gingembre**
- ☐ **1 c. à s. farine**
- ☐ **1 œuf**
- ☐ **2 c. à s. sucre non raffiné**
- ☐ **100 g crème fraîche**

1 Foncer le moule à tarte graissé avec la pâte.

2 Cuire cette pâte à blanc à 150°, 10 mn, recouvrir de haricots pour éviter qu'elle ne monte.

3 Retirer la chair du pamplemousse, éplucher les mandarines et l'orange et séparer les quartiers.

4 Couper l'avocat en petits dés et poudrer avec le gingembre.

5 Mélanger ensemble l'œuf, la farine, le sucre et la crème.

6 Recouvrir la pâte précuite de ce mélange.

7 Puis disposer dessus les quartiers d'orange et de mandarines, l'avocat et la pulpe de pamplemousse.

8 Saupoudrer d'un peu de sucre et cuire à 150° environ 20 minutes.

Tarte au miel

- [ ] **pâte sablée ou pâte brisée n° 2**
- [ ] **100 g miel**
- [ ] **2 dl crème fraîche**
- [ ] **2 c. à s. fromage blanc lisse**
- [ ] **80 g amandes en poudre**
- [ ] **100 g noix décortiquées**
- [ ] **1 c. à s. farine**
- [ ] **2 œufs**

1 Etaler la pâte sur une tourtière beurrée. La cuire à blanc à four chaud 10 mn.

2 Faire chauffer le miel.

3 Mélanger dans un saladier la poudre d'amandes, la crème fraîche, le fromage blanc, les œufs et la farine.

4 Verser sur le miel chaud.

5 Ajouter les noix hachées.

6 Verser le tout sur la pâte à tarte et passer au four 15 mn.

7 Servir tiède.

Tarte au millet

- ☐ **pâte brisée n° 1 ou 3**
- ☐ **125 g millet**
- ☐ **1 c. à s. purée d'amandes**
- ☐ **100 g noix de coco râpée**
- ☐ **60 g sucre roux non raffiné**
- ☐ **compote de pommes ou d'abricots**

1 Garnir la tourtière beurrée de la pâte et cuire le fond de tarte à blanc 20 minutes.

2 Cuire le millet à l'eau, l'égoutter, le sucrer, ajouter la purée d'amandes délayée dans une c. à s. d'eau et 80 g noix de coco.

3 Etaler la moitié du millet sur le fond de tarte.

4 Recouvrir de compote et finir avec une couche de millet.

5 Saupoudrer de noix de coco et passer à four chaud 10 minutes.

Tarte à la myrtille

- ☐ **pâte brisée n° 1 ou 2**
- ☐ **500 g myrtilles**
- ☐ **10 cl crème fraîche**
- ☐ **70 g sucre non raffiné**
- ☐ **2 œufs**
- ☐ **2 biscottes**

1 Abaisser la pâte dans un moule à tarte graissé.

2 Emietter les biscottes régulièrement sur la pâte afin d'éponger le jus des myrtilles.

3 Recouvrir avec les myrtilles.
4 Cuire à four chaud 15 mn.
5 Retirer du four et verser sur les myrtilles le mélange sucre-œufs-crème.
6 Remettre au four et cuire encore 15 mn.
7 Démouler et laisser refroidir
8 Saupoudrer de sucre glace.

* **Les myrtilles améliorent l'acuité visuelle.**

Tarte noix de coco et chocolat

☐ **pâte brisée n° 1 ou 3**
☐ **150 g noix de coco**
☐ **80 g sucre roux non raffiné**
☐ **3 œufs**
☐ **120 g chocolat noir**

1 Foncer un moule à tarte avec la pâte.
2 Mélanger la noix de coco, le sucre, les jaunes d'œufs et délicatement les blancs d'œufs battus en neige.
3 Verser cette préparation sur le fond de tarte.
4 Cuire à four chaud 30 minutes.
5 Laisser tiédir, puis napper de chocolat fondu.
6 Laisser refroidir avant de déguster.

Tarte des pionniers

☐ **pâte brisée n° 3 ou au fromage blanc**
☐ **4 œufs**
☐ **80 g sucre roux non raffiné**
☐ **125 g crème fraîche**
☐ **200 ml sève d'érable**
☐ **150 g noix de pécan**
☐ **50 g noix de pécan en poudre**

Foncer la tourtière beurrée avec la pâte et la faire cuire à blanc 10 minutes.

2 Mélanger les œufs, la crème, le sucre, la sève d'érable et les noix moulues.

3 Verser cette préparation sur la pâte précuite.

4 Disposer joliment les noix dessus.

5 Cuire à four modéré 30 minutes.

* **A défaut de noix de pécan, des noix de Grenoble.**

Tarte aux poires et aux figues

☐ **pâte brisée n° 1 ou 3**
☐ **250 g figues fraîches**
☐ **4 poires coupées en quartiers**
☐ **200 g sucre roux non raffiné**
☐ **25 g beurre**

1 Garnir la tourtière beurrée avec la pâte.

2 Cuire à four préchauffé à 180°, 20 minutes environ.

3 Préparer un caramel avec le sucre et 1 c. à s. d'eau. Quand le caramel a blondi, tremper les poires et laisser cuire à feu doux 30 minutes.

4 Egoutter les poires.

5 Tremper à leur tour les figues dans le caramel, les ressortir aussitôt et les couper en quartiers.

6 Démouler le fond de tarte et le garnir de poires et de figues en les alternant.

7 Laisser réduire le caramel de moitié et en napper les fruits.

8 Servir frais.

Tarte aux poires et aux noisettes

☐ **pâte à pain n° 2 ou pâte feuilletée ou pâte sablée aux œufs**

- ☐ 400 g poires épluchées, coupées en fines lamelles
- ☐ 70 g noisettes hachées grossièrement
- ☐ 1 pot de crème fraîche
- ☐ 1 œuf
- ☐ 3 c. à s. sucre non raffiné

1. Etendre la pâte dans un moule à tarte graissé.
2. Disposer harmonieusement les poires sur la pâte.
3. Mélanger la crème avec l'œuf et le sucre.
4. Recouvrir les poires de ce mélange.
5. Saupoudrer de noisettes.
6. Cuire à four chaud 25 mn.

* **On peut la recouvrir d'une autre moitié de pâte.**

Tarte aux pommes

- ☐ **pâte brisée n° 3**
- ☐ **5 pommes coupées en rondelles**
- ☐ **150 g crème fraîche**
- ☐ **100 g sucre roux non raffiné**
- ☐ **3 jaunes d'œufs**
- ☐ **50 g raisins secs mis à gonfler**
- ☐ **2 c. à s. confiture d'abricots**
- ☐ **50 g amandes en poudre**

1. Précuire 10 minutes le fond de tarte à four chaud.
2. Mélanger la crème, le sucre, les œufs, les raisins secs égouttés et les amandes.
3. Verser sur le fond de tarte précuit.

4 Disposer dessus les rondelles de pommes en couronne.

5 Cuire à four chaud 30 minutes.

6 Au sortir du four, napper de confiture.

* **Se mange tiède.**
* **La pomme est un préventif de l'infarctus !**

Tarte aux pommes à la cannelle

- ☐ **pâte brisée n° 1 ou 2 ou pâte briochée, pâte à pain**
- ☐ **300 g pommes épluchées**
- ☐ **60 g raisins secs**
- ☐ **2 œufs**
- ☐ **2 c. à s. sucre non raffiné**
- ☐ **1 c. à c. cannelle**

1 Couper les pommes en fines lamelles.

2 Etaler la pâte dans un moule à tarte graissé.

3 Disposer dessus les lamelles de pommes.

4 Mélanger les œufs, le sucre et la cannelle et en recouvrir les pommes.

5 Cuire à four chaud 25 mn environ.

* **Utiliser des raisins secs non traités à l'anhydride sulfureux.**

Tarte aux pommes et aux amandes

- ☐ **pâte brisée n° 1 ou 2 ou pâte sablée ou au fromage blanc ou pâte feuilletée**
- ☐ **3 belles pommes coupées en quartiers**
- ☐ **2 c. à s. sucre roux non raffiné**
- ☐ **cannelle**
- ☐ **1 œuf**
- ☐ **1 verre de lait ou de lait de soja ou de lait d'amandes**
- ☐ **50 g amandes effilées et grillées**

1 Disposer les pommes sur la pâte et les saupoudrer de cannelle et de sucre.
2 Battre le jaune d'œuf, le mélanger au lait et aux amandes, verser sur la tarte.
3 Passer au four moyen pendant 30 mn.

* **Cannelle signifie cylindre en latin.**

Tarte aux pruneaux et au miel

- □ **pâte brisée n° 1 ou 2 ou pâte sablée**
- □ **40 pruneaux mis à tremper la veille**
- □ **60 g miel**
- □ **le zeste d'une orange**
- □ **quelques pignons de pin**
- □ **1 œuf**

1 Abaisser les 3/4 de la pâte dans un moule graissé.
2 Couper les pruneaux en petits morceaux, après en avoir ôté le noyau.
3 Mélanger les pruneaux coupés avec le miel et le zeste.
4 Répartir les pruneaux sur le fond de tarte.
5 Former des croisillons avec le reste de la pâte et décorer la tarte.
6 Dorer les croisillons à l'œuf.
7 Disposer les pignons.
8 Cuire à four chaud 35 mn.

* On peut remplacer les pruneaux par des abricots secs, ou même faire un mélange des deux : 20 pruneaux et 20 abricots.
* « Le juste se nourrira de lait et de miel, jusqu'à ce qu'il sache rejeter le mal et choisir le bien ». Esaïe, VII, 15.

Tarte aux quetsches

☐ pâte briochée
☐ 1 kg quetsches dénoyautées et coupées en 2
☐ 80 g sucre non raffiné
☐ 1 c. à c. cannelle en poudre
☐ 80 g amandes râpées

1 Abaisser la pâte dans le moule à tarte graissé.
2 Disposer les moitiés de quetsches sur le fond de tarte, verser les amandes.
3 Saupoudrer de sucre et de cannelle.
4 Cuire à four chaud 30 mn.

Tarte aux reines-claudes et aux amandes

☐ pâte brisée n° 1 ou 3
☐ 1 kg reines-claudes dénoyautées et coupées en deux
☐ 180 g sucre roux non raffiné
☐ 2 c. à s. confiture d'abricots
☐ 100 g d'amandes râpées
☐ 80 g beurre ramolli
☐ 1 œuf

1 Faire pocher les fruits dans une casserole avec un verre d'eau et 80 g sucre.
2 Laisser cuire à feu moyen 3 minutes afin de leur faire perdre leur excès d'eau.
3 Les égoutter.

4 Mélanger l'œuf et le sucre, puis ajouter la poudre d'amandes et le beurre fondu.

5 Foncer un moule à tarte beurré avec la pâte et la cuire à blanc 10 minutes à four chaud.

6 Oter du four. Recouvrir la pâte de la crème aux amandes.

7 Disposer au-dessus les reines-claudes en couronne.

8 Remettre à four chaud 20 minutes.

9 Faire réduire de moitié le jus de cuisson des fruits, puis ajouter la confiture d'abricots.

10 En fin de cuisson, napper la tarte de ce mélange et passer sous le grill 2 minutes pour caraméliser.

* **C'est un régal !**
* **On peut remplacer la crème aux amandes par cette crème plus légère :**

- ☐ **80 g farine bise**
- ☐ **2 verres d'eau**
- ☐ **60 g sucre roux non raffiné**
- ☐ **50 g amandes râpées**
- ☐ **1 c. à s. purée d'amandes**

1 Délayer la farine dans l'eau froide.

2 Porter à ébullition, ajouter le sucre et laisser cuire 5 minutes.

3 Hors du feu, ajouter les amandes et la purée d'amandes.

4 Utiliser comme précédemment.

* **Si vous faites votre propre confiture d'abricots, ajoutez-y quelques amandes effilées, la confiture devient ainsi un véritable délice.**

Tarte à la rhubarbe n° 1

- ☐ **pâte brisée n° 1 ou 2 ou pâte briochée**
- ☐ **1 kg rhubarbe épluchée et coupée en dés**

- ☐ 3 blancs d'œufs
- ☐ 80 g sucre non raffiné
- ☐ vanille en poudre

1. Abaisser la pâte dans un moule à tarte beurré.
2. Garnir avec la rhubarbe et saupoudrer avec la moitié du sucre.
3. Cuire à 200°, 25 mn.
4. Monter les blancs en neige avec le sucre restant.
5. Sortir la tarte du four, recouvrir avec les blancs montés en neige et remettre 10 mn au four.

* La rhubarbe est légèrement laxative.

Tarte à la rhubarbe n° 2

- ☐ pâte brisée n° 1 ou 2 ou pâte sablée
- ☐ 1 kg rhubarbe
- ☐ 500 g sucre en poudre
- ☐ 1 bâton de vanille
- ☐ 2 dl crème fraîche
- ☐ 2 paquets de sucre vanillé

1. Etaler la pâte dans une tourtière beurrée, cuire cette pâte à blanc 10 mn à four très chaud.
2. Cuire la rhubarbe en morceaux avec le sucre et le bâton de vanille jusqu'à ce qu'elle soit en purée ; laisser refroidir.
3. Garnir la pâte de cette rhubarbe.
4. Remettre la tarte 10 mn à four moyen juste avant de servir.
5. Servir avec la crème fraîche mélangée au sucre vanillé.

Tarte sucrée au riz

- ☐ pâte sablée ou briochée
- ☐ 100 g riz rond 1/2 complet ou blanc

- [ ] 1/2 l lait ou lait de soja
- [ ] vanille en poudre
- [ ] 50 g raisins secs
- [ ] 10 pruneaux coupés en morceaux
- [ ] 100 g sucre non raffiné
- [ ] 1/2 dl crème fraîche
- [ ] 50 g beurre
- [ ] 1 blanc d'œuf
- [ ] 1 verre de fleur d'oranger (ou autre parfum)

1 Faire macérer les raisins dans la fleur d'oranger.

2 Etaler votre pâte sur une tourtière beurrée.

3 Cuire le riz dans le lait bouillant additionné de vanille pendant 40 mn. Ajouter du lait si nécessaire.

4 Ajouter le sucre, la crème, les raisins et le beurre fondu.

5 Ajouter le blanc d'œuf battu en neige très ferme lorsque la préparation a refroidi.

6 Verser sur la pâte.

7 Cuire 30 mn à four moyen.

Tarte au tofu et aux bananes

- [ ] pâte brisée n° 1 ou 3 ou au fromage blanc
- [ ] 500 g tofu
- [ ] 2 bananes mûres
- [ ] 12 pruneaux trempés et dénoyautés

- [ ] 12 amandes hachées
- [ ] 50 ml jus de trempage des pruneaux
- [ ] 3 c. à s. miel
- [ ] 1 c. à c. jus de citron
- [ ] le zeste d'un citron râpé

1 Foncer la tourtière beurrée avec la pâte.
2 Faire cuire à blanc à four chaud 10 minutes.
3 Dans un bol mixer, déposer tous les ingrédients et mixer jusqu'à obtenir une consistance homogène et crémeuse.
4 Verser cette préparation sur le fond de tarte précuit.
5 Cuire à four moyen 30 minutes.
6 Servir très froid.

Tartelettes aux figues

- [ ] pâte feuilletée
- [ ] 750 g figues bien mûres et coupées en deux dans le sens de la hauteur
- [ ] 8 c. à s. confiture de framboises
- [ ] 1 c. à c. cannelle

1 Etaler la pâte sur une surface lisse et farinée.
2 Découper 8 disques de 12 cm environ de diamètre.
3 Verser sur chacun 1 c. à s. de confiture de framboises et l'étaler régulièrement.

4 Disposer 2 moitiés de figues sur chaque fond de tarte.

5 Saupoudrer de cannelle.

6 Déposer ces tartelettes sur la plaque beurrée du four.

7 Cuire à four chaud 20 minutes.

8 Peuvent se manger chaudes ou froides.

* Si vous les manger tièdes, nappez-les de crème fraîche ou de lait d'amandes.

Tartelettes aux fruits secs

☐ pâte brisée n° 3 ou pâte sablée
☐ 60 g amandes grillées légèrement au four
☐ 60 g noisettes grillées légèrement au four
☐ 2 figues sèches
☐ 50 g raisins secs mis à gonfler
☐ 6 c. à s. miel
☐ le jus d'un demi-citron
☐ pâte d'amandes :
☐ 60 g amandes en poudre
☐ 30 g sucre en poudre
☐ 20 g beurre
☐ 1 pincée de vanille en poudre

1 Foncer 6 petits moules à tartelettes beurrés de la pâte et cuire à blanc à four chaud 30 minutes.

2 Préparer la pâte d'amandes : travailler ensemble le sucre, le beurre ramolli, les amandes et la vanille.

3 Malaxer jusqu'à ce que le mélange soit bien homogène.

4 Etaler ensuite cette pâte au rouleau et en garnir chaque tartelette précuite.

5 Répartir les fruits secs sur les tartelettes.

6 Mélanger le miel et le jus de citron et faire cuire 2-3 minutes à feu vif.

7 Napper les fruits de ce sirop.

* **Excellent dessert ou goûter d'hiver.**
* **Les quatres fruits secs (raisins, amandes, figues et noisettes) représentent les quatres mendiants dans la tradition de Calendal).**

Tartelettes gourmandes

☐ **pâte brisée n° 1 ou 2 ou pâte sablée aux œufs**
☐ **300 g figues mises à tremper la veille**
☐ **250 g noisettes**
☐ **90 g miel**
☐ **le zeste d'un citron**

1 Abaisser la pâte dans de petits moules individuels (environ une dizaine).
2 Passer les figues trempées et les noisettes à la moulinette.
3 Ajouter le zeste et le miel.
4 Garnir de ce mélange les tartelettes.
5 Cuire à 180°, 40 mn.
6 Garnir d'une noisette pour décorer.

* **De tous temps, le miel fut symbole de douceur, de paix et d'abondance.**

Tartelettes du mendiant

☐ **pâte sablée aux œufs**
☐ **50 g raisins secs mis à gonfler**
☐ **50 g chocolat râpé**
☐ **30 g noix hachées grossièrement**
☐ **30 g amandes hachées grossièrement**
☐ **4 figues sèches hachées grossièrement**
☐ **4 c. à s. confiture de framboises**
☐ **1 c. à c. rhum**
☐ **1 c. à c. cannelle**

1 Dans une jatte, mélanger raisins égouttés, chocolat râpé, amandes, noix et figues.

2 Ajouter la cannelle et la confiture diluée dans le rhum.

3 Foncer les moules à tarte avec la pâte.

4 Répartir dans les fonds de tarte la préparation aux fruits secs. Bien tasser.

5 Décorer le dessus de croisillons de pâte et les dorer à l'aide d'un pinceau trempé dans du jaune d'œuf.

6 Mettre à four préchauffé à 200°, 35 minutes.

7 Démouler et laisser refroidir.

* Peut remplacer un des treize desserts du Noël provençal.

Tourte aux noix et au miel

☐ pâte brisée n° 1 ou 3 x2
☐ 250 g noix hachées
☐ 4 c. à s. rhum
☐ 125 g chocolat fondu au bain-marie
☐ 80 g miel

1 Foncer une tourtière beurrée avec la moitié de la pâte.

2 Mélanger le miel, les noix et le rhum.

3 Garnir la pâte de ce mélange.

4 Recouvrir du reste de pâte et bien souder les bords.

5 Faire cuire 30 minutes à 180°.

6 Laisser refroidir et napper la tarte de chocolat fondu.

VOCABULAIRE

AGAR-AGAR : Mélange de plusieurs algues qui après transformation est utilisé pour la préparation de plats gélatineux : œufs, légumes, pâtés, etc...

ARROW-ROOT : Liant, épaississant obtenu à partir de la racine de maranta. Bien meilleur que la fécule de pomme de terre de par ses propriétés intestinales.

BOULGHOUR : Blé germé, séché et concassé.

BOUILLON DE SOJA : Bouillon obtenu à partir de cubes de soja ou de miso.

CURCUMA : De couleur jaune vif, le curcuma provient du rhizome d'une plante asiatique.

CURRY : Mélange de plusieurs épices pouvant varier suivant les plats préparés. Nous retrouvons comme composants du curry ou kari : gingembre, cannelle, cumin, muscade, curcuma, piment, poivre, etc..

DULCE : Algue côtière violette et petite. S'utilise dans les soupes et légumes.

GRAISSE VÉGÉTALE : Graisse constituée d'un mélange palme - coprah. Elle reste solide à la température ambiante et résiste fort bien aux chaleurs élevées.

GRUAU : Farine fine obtenue par écrasement des semoules.

IZIKI : Algue noire très fine et allongée. Fort riche en calcium et autres minéraux.

KOMBU : Algue plate et longue. Plus visqueuse que les précédentes, mais au goût moins prononcé.

LAIT DE SOJA : Obtenu à partir de fèves de soja mixées puis cuites avec de l'eau. Plus digeste que le lait de vache.

LEVURE ALIMENTAIRE : (Maltée, douce ou de bière). Champignon microscopique vendu sous forme de poudre ou de paillettes. La levure alimentaire est riche en protéines (45 g / 100 g), vitamines (B) et minéraux.

LEVURE DE BOULANGER : En cubes ou en sachets, préférez-la à la levure chimique.

MALT D'ORGE : Sucre liquide obtenu à partir d'orge.

MISO : Utilisé dans de trés nombreuses préparations, le miso est une pâte brune et salée, obtenue par fermentation d'un mélange de soja, céréales et sel.

MOZZARELLA : Autrefois fromage au lait de bufflonne, la mozzarella est aujourd'hui fabriquée avec du lait de vache. C'est un fromage à pâte molle devant être consommé frais.

NOIX DE CAJU : Fruit de l'anacardier, la noix de caju est un fruit énergétique légèrement laxatif.

NORI : Algue verte et trés petite. Riche en iode et calcium.

NUOC-MAM : Sauce de poissons fermentés.

PALMOISETTE : Mélange de graisse végétale et de purée de noisettes.

PIPERADE : Spécialité basque à base de poivrons, tomates et oignons.

PURÉE D'AMANDES ou DE NOISETTES : Amandes ou noisettes finement broyées. Permet la fabrication de lait, mayonnaise et sauces trés digestes.

SUCRE COMPLET : Jus de la canne à sucre simplement déshydraté. Le sucre complet est à conseiller aux enfants pour son action reminéralisante et anticarie.

SÉSAME : Petite graine blanche riche en huile insaturée, le sésame possède une action favorable sur la mémoire.

TAMARI : Sauce de soja fermenté. Il remplace avantageusement le sel.

TAPENADE : Purée d'olives.

TEMPEH : Obtenu par fermentation du soja sous l'action du rhizopus oryzae (champignons). Permet la préparation de plats en sauce, brochettes etc...

WAKAME : Algue noire aux grandes feuilles. S'utilise crue dans les salades ou cuite dans les soupes et plats de légumes.

Tous les produits se trouvent :

En magasins de diététique et de produits naturels. Dans certaines grandes surfaces.

Pour de plus amples renseignements vous pouvez écrire à : Sté Abhyasa BP 33 84240 La Tour d'Aigues.

TABLE DES MATIÈRES

Préface 5
Termes rares 6
Abréviations 6
Proportions 6
Les ingrédients 7
Vocabulaire 79

Les pâtes à tartes 10
Pâte briochée 10
Pâte brisée n°1 11
Pâte brisée n°2 11
Pâte brisée n°3 12
Pâte brisée au fromage blanc . 12
Pâte brisée minute 12
Pâte épicée 13
Pâte feuilletée 13
Pâte à pain n°1 14
Pâte à pain n°2 15
Pâte à sablée 15
Pâte sablée aux œufs 16

Tartes salées 17
Pizza béchamel 17
Pizza aux champignons n°1 . . 18
Pizza aux champignons n°2 . . 18
Pizza à la niçoise 19
Pizza aux oignons 19
Pizza aux poivrons 20
Quiche à la tomate 20
Quiches aux légumes 21
Ratcha 22
Tarte aux aubergines 23
Tarte aux aubergines et aux
tomates 24
Tarte Auvergante 24
Tartes au blettes 25
Tarte bleue 26
Tarte bonne-mine 26

Tarte aux carottes 27
Tarte chevrette 27
Tarte au chou 28
Tarte aux choux de Bruxelles . 28
Tarte au chou-fleur 29
Tarte aux cœurs de palmier . . 30
Tarte à la courge 30
Tarte aux courgettes 31
Tarte aux épinards 32
Tarte flambée 33
Tarte aux girolles 34
Tarte aux légumes 34
Tarte au maïs 35
Tarte minute 35
Tarte noix-fromage 36
Tarte à l'oignon 36
Tarte aux olives 37
Tarte aux pointes d'asperges . . 37
Tarte aux poireaux 38
Tarte aux poivrons 39
Tarte primeur 40
Tarte printanière 41
Tarte à la tomate 41
Tarte à la tomate et à la
menthe 42
Tarte verte 43
Tourte auvergnate 44
Tourte trois fromages 45

Tartes sucrées 46
Apple pie 46
Linzertorte 47
Linzertorte au chocolat 48
La panado 49
Pie aux poires 49
Streuselkuchen 50
Tarte aux abricots et aux noix 51
Tarte alsacienne 51

Tarte amandine 52
Tarte américaine 53
Tarte andalouse 54
Tarte antillaise 54
Tarte à la banane et aux
raisins 55
Tarte aux cerises 56
Tarte aux clémentines et aux
kiwis 56
Tarte à l'envers 57
Tarte aux framboises 58
Tarte au fromage blanc 58
Tarte aux fruits minute 59
Tarte aux fruits secs 59
Tarte aux kiwis n°1 60
Tarte aux kiwis n°2 61
Tarte lorraine 61
Tarte made in Israël 62
Tarte au miel 63
Tarte au millet 64
Tarte à la myrtille 64
Tarte noix de coco et
chocolat 65

Tarte des pionniers 65
Tarte aux poires et aux
figues 66
Tarte aux poires et aux
noisettes 66
Tarte aux pommes 67
Tarte aux pommes à la
cannelle 68
Tarte aux pommes et aux
amandes 68
Tarte aux pruneaux et au miel 69
Tarte aux quetsches 70
Tarte aux reines-claudes et
aux amandes 70
Tarte à la rhubarbe n°1 71
Tarte à la rhubarbe n°2 72
Tarte sucrée au riz 72
Tarte au tofu et aux bananes . 73
Tartelettes aux figues 74
Tartelettes aux fruits secs 75
Tartelettes gourmandes 76
Tartelettes du mendiant 76
Tourte aux noix et au miel . . . 77

ALIMENTATION

CHANTAL ET LIONEL CLERGEAUD
COLLECTION CUISINE & SANTÉ

Des petits livres à petits prix, mais avec des points forts :
Un format pratique, peu encombrant, permettant de glisser le livre dans une poche.

Un sujet par livre : véritable petite encyclopédie, chaque ouvrage fournit des informations précises sur les aliments, l'équilibre alimentaire et de nombreux autres thèmes concernant la santé. Chacun devient un consommateur averti.

Des recettes originales de France, de Navarre et d'ailleurs font de chaque repas une fête, révélant une nouvelle cuisine gaie, saine et légère.

Des recettes garanties, toutes essayées : plus de désastre au moment de passer à table.

Des recettes saines, végétariennes, élaborées à partir de produits de qualité, permettant de garder forme, santé et dynamisme.

Simples à réaliser et expliquées clairement, ces recettes s'adressent à tous et à toutes.

Parus en avril 1988 : **1. Galettes de toujours — 2. Les nouveaux pâtés végétaux — 3. Les céréales — 4. Tartes en fête.**

A paraître à partir de juin 1988 : **Les salades, Le tofu, Fruits secs et fruits séchés, Les graines germées, Les soupes, Les fruits, Les légumes, La cuisine des enfants. L'alimentation du sportif, L'alimentation énergétique, Les gâteaux, Les entremets, Les légumineuses, Les petits déjeuners, La cuisine végétarienne des régions de France, La cuisine végétarienne du monde, L'alimentation de la femme enceinte, etc.**

* Chaque livre : 96 pages 10,6 × 20
46,70 F

ANNY VAGNIÈRES
LES CÉRÉALES GASTRONOMIQUES

« J'ai eu plusieurs fois le plaisir de goûter la cuisine de l'auteur. Elle ne ressemble en rien à l'idée que beaucoup de gens se font des cures, diètes et régimes. La créativité d'Anny Vagnières s'exprime au gré de son inspiration, sa cuisine est variée, gaie et colorée, ses petits plats satisfont autant les gourmets les plus raffinés que les nutritionnistes les plus exigeants. Le livre d'Anny Vagnières permet de découvrir une nouvelle gastronomie, biologique, riche en substances vitales, facile à exécuter et économique. » (Dr RAYMOND ABREZOL)

Les teneurs en calories, protéines, lipides et glucides sont données pour chaque recette, ce qui facilitera le travail de diététiciens et de tous ceux qui veulent surveiller avec précision les apports quotidiens de leur régime alimentaire.

260 pages 14,8 × 21 12 planches en couleurs 136 F

ACHEVÉ D'IMPRIMER PAR
CORLET, IMPRIMEUR S.A.
14110 CONDÉ-SUR-NOIREAU

Nº d'Imprimeur : 3795
Dépôt légal : juillet 1988

Imprimé en France